Mynd i'r Gêm

Darluniau: Jenny Williams
Testun: Margaret Matthews

Cysyniad, creadigaeth a dyluniad Cyhoeddiadau FBA mewn cydweithrediad ag
Awdurdod Cymwysterau, Cwricwlwm ac Asesu Cymru (ACCAC)
Cyhoeddiadau FBA
Aberystwyth
2000

Mae'n ddiwrnod y gêm gyn-derfynol yn Aberystwyth –
Tre Caerfyrddin yn erbyn Dinas Bangor.
Mr Roberts, tad Gareth a Bethan, yw gyrrwr bws tîm
pêl-droed Caerfyrddin.

'M-aa-m, mae'n rhy fore i godi!' cwynodd Bethan.
'Mae Aberystwyth yn bell a byddwn ni
yn y bws am oriau,' meddai'i brawd.

2

'Mi fyddwch wrth eich boddau,' meddai Mrs Roberts.
'Bobol bach, 'dyw Aberystwyth ddim ymhell
iawn oddi wrthym yn Llanelli!
Byddwn yno cyn cinio.'
'Nawr siapwch hi, blant,' meddai Dad.
'Mae'ch ffrind Amin yn ein disgwyl ymhen deng munud.
Peidiwch ag anghofio'r map ... na'r picnic!'

3

Dyma nhw o'r diwedd ar y bws yn teithio
ar draffordd yr M4 i gyfeiriad Caerfyrddin.
Dilynai Bethan a'i mam y daith ar y map.
W-w-w! W-w-w! Gwibiodd dau gar heddlu heibio.
'Hei, 'drycha ar rheina!' gwaeddodd Amin.
'Maen nhw'n cwrso rhywun!'

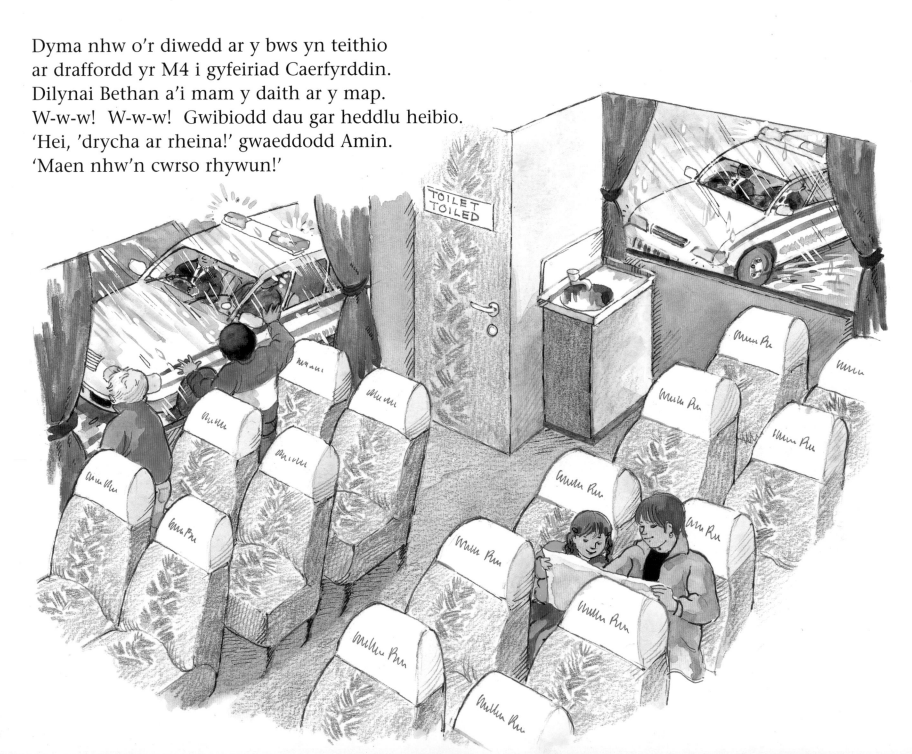

4

Ymhen dim o dro cyrhaeddodd y bws
Wasanaethau Pont Abraham.
Yno roedd rhai o aelodau'r tîm
yn disgwyl y bws.
Roedd llawer o geir, lorïau a faniau wedi'u parcio yno.

5

Ymlaen â nhw i Gaerfyrddin i godi gweddill y tîm.
Roedd cynffon hir o draffig wrth y goleuadau ar bont y dre.
Symudai'r cerbydau yn sobor o araf. O'r diwedd cyrhaeddodd y bws
y clwb pêl-droed ac wrth eu gweld meddai Tomi, y rheolwr, dan wenu,
'Ro'n ni wir yn meddwl eich bod wedi mynd hebom ni.'
Aeth pawb ar y bws ac felly bant â nhw.

Cyn hir aeth y ffordd yn fwy cul ac yn fwy troellog.
Aethant drwy Bencader a Llandysul cyn dod at
groesffordd Synod ar ffordd yr arfordir.
Dyma droi i'r dde yno ac anelu am y gogledd.
Ydyn ni'n bell o Aberystwyth 'nawr, Mam? holodd Bethan.
'Byddwn yn Aberaeron ymhen chwinciad, ac yna Aberystwyth
yw'r dre nesaf, tuag ugain milltir ymhellach,' atebodd ei mam.

Ar ôl gadael tre Aberaeron dringodd y bws
yn araf ar hyd ffordd igam ogam yr arfordir.
'Edrychwch ar yr olygfa wych yma,' meddai Mam
mewn rhyfeddod, wrth i'r bws nesáu at ben y rhiw.
'Drychwch ar y tonnau!' meddai Amin.
'Ie, a'r holl wylanod yna,' ychwanegodd Bethan.
'Sut yn y byd maen nhw'n gallu hedfan yn y fath wynt?'

8

'Ble mae'r môr?' holodd Bethan wrth
i'r bws gyrraedd cyrion tre Aberystwyth.
'Gan bwyll nawr!' meddai Dad dan wenu.
'Rhaid mynd â'r tîm i'r maes yn gynta'.
Sut mae cyrraedd hwnnw tybed?'
Darllenodd Bethan y map.
'Syth i lawr y rhiw a throi i'r chwith ar y
cylch-fan,' atebodd gydag awdurdod!

9

Wedi ffarwelio â'r tîm cerddodd
y teulu i gyfeiriad y môr.

'Dwi bron â llwgu!' cwynodd Gareth.
'I ble'r awn ni am bicnic 'te?' holodd Mrs Roberts.
'I'r traeth!' meddai Bethan.
'I'r castell!' meddai Gareth.
'I'r harbwr!' cynigiodd Amin.

Yn yr harbwr dawnsiai'r cychod fel teganau
mewn bath. Roedd y môr llwyd yn berwi!
'Ai palas yw hwnna ar y bryn?' holodd Bethan.
'Na,' atebodd ei mam, dan wenu. 'Dyna'r Llyfrgell
– Llyfrgell Genedlaethol Cymru.'
'Mae'n siŵr fod miloedd o lyfrau fanna,'
meddai Amin.
'Dewch wir,' meddai Mr Roberts, 'i chwilio am gysgod rhag
y gwynt main. Dyma beth yw gwynt mis Mawrth go iawn!'

11

Cafwyd lle da i fwyta'r picnic yng nghysgod
un o furiau castell Aberystwyth,
yng ngolwg yr Hen Goleg.
Roedd Bethan ac Amin am chwarae yn y
pyllau dŵr ymysg y creigiau ar y traeth.
Ond roedd y llanw'n uchel a'r môr yn fygythiol.

12

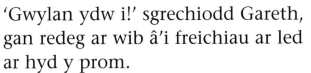

'Gwylan ydw i!' sgrechiodd Gareth,
gan redeg ar wib â'i freichiau ar led
ar hyd y prom.

Yna aeth Amin a Gareth
i chwarae gyda'r telesgop oedd heibio'r pier.
'Beth yw hwnna draw fancw?' gofynnodd Amin.
'Dyna reilffordd y trên bach i ben y graig,'
atebodd Mr Roberts.

13

Roedd bron yn ddau o'r gloch
ac yn amser mynd i'r gêm.
'Y ffordd hawsaf i ni i gyrraedd y maes
fydd cerdded trwy'r dre a heibio'r orsaf,'
meddai Mr Roberts.

Roedd canol y dre yn fwrlwm o brysurdeb.
Ond doedd dim amser i oedi.
Roedd y gêm ar fin dechrau.

15

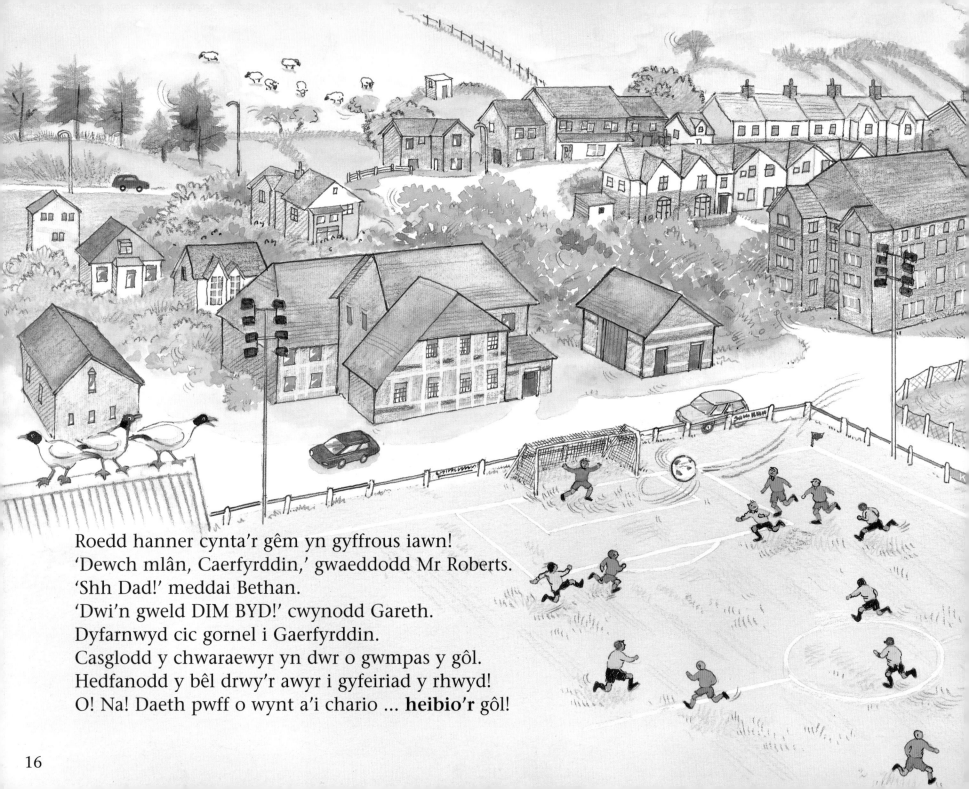

Roedd hanner cynta'r gêm yn gyffrous iawn!
'Dewch mlân, Caerfyrddin,' gwaeddodd Mr Roberts.
'Shh Dad!' meddai Bethan.
'Dwi'n gweld DIM BYD!' cwynodd Gareth.
Dyfarnwyd cic gornel i Gaerfyrddin.
Casglodd y chwaraewyr yn dwr o gwmpas y gôl.
Hedfanodd y bêl drwy'r awyr i gyfeiriad y rhwyd!
O! Na! Daeth pwff o wynt a'i chario ... **heibio'r** gôl!

Aeth pethau o ddrwg i waeth.
Dangoswyd cerdyn melyn i un chwaraewr am ddadlau.
Cariwyd un arall o'r cae ar stretsiar.
Bob tro y daeth tîm Caerfyrddin yn agos at sgorio,
daeth gwynt cryf i chwythu'r bêl i ... unlle o werth!!

Eiliadau cyn hanner amser fe sgoriodd Bangor!
Edrychai tîm Caerfyrddin yn ddiflas iawn.
Yr un olwg oedd ar wynebau rhai o'u cefnogwyr!
'Dewch!' meddai Mr Roberts.
'Beth am damaid o rywbeth i godi'n calonnau?'

'Mae'r sglodion yn flasus ond dwi ddim
yn hoffi pêl-droed,' meddai Gareth.
'A dwi'n gweld dim. Mae'n oer a gwyntog.'
'Rhaid gwneud rhywbeth ynghylch hyn,'
meddai llais cyfarwydd o'r tu ôl iddo.
Llais Tomi y rheolwr!
'Dere, Gareth bach, gei di eistedd gyda ni
ar y fainc,' meddai.
'Pwy a ŵyr, 'falle ddoi di â lwc dda i ni!'

19

Cyn hir rhedodd y ddau dîm i'r cae ar gyfer yr ail hanner.
A dyna lle roedd Gareth gyda'r pwysigion!

Chwiban sydyn a bant â nhw eto.
Meddiannodd Caerfyrddin y bêl yr holl
ffordd i lawr ochr y cae.
Gwnaeth y capten groesiad gwych o flaen
y gôl ... Whap! Mewn fflach roedd y bêl
yng nghornel y rhwyd!
Bloeddiodd cefnogwyr Caerfyrddin ag un llais.
Gwaeddodd Bethan ac Amin am y gorau hefyd!

A dyna ddiweddglo! Mwy a mwy o eiliadau cyffrous ...
a dwy gôl ychwanegol! Chwythwyd y chwiban olaf.
A'r sgôr? Dinas Bangor 1, Tre Caerfyrddin 3.
Taflodd Dad ei het yn uchel, uchel i'r awyr.
Roedd ar ben ei ddigon!

Gwenai Tomi o glust i glust ar ddiwedd y gêm.
'Ti ddaeth â'r lwc i ni, Gareth.
Gallem ni wneud y tro â thi y Sadwrn nesaf hefyd.
Fasech chi i gyd yn hoffi cael tocynnau i'r Gêm Gwpan?'

Roedd Gareth yn fud!
Ond roedd y wên ar ei wyneb yn dweud y cwbl!

Seiliwyd y testun Cymraeg ar stori gan Jonathan Shipton.
Ymgynghorwr Daearyddiaeth: Eirian Rowlands.

Cyhoeddwyd â chymorth ariannol ACCAC (Awdurdod
Cymwysterau, Cwricwlwm ac Asesu Cymru)

Cyhoeddwyd Chwefror 2000 gan
Cyhoeddiadau FBA, Rhif 4, Y Parc Gwyddoniaeth,
Aberystwyth, Ceredigion SY23 3AH
Ffôn: (01970) 611996 Ffacs: (01970) 625796
Ebost: publishing@fba.wales.com

Dyluniwyd gan Francis Balsom Associates
Argraffwyd yng Nghymru

ISBN 1 901862 35 6